équitation

POCHE-ENCYCLOPEDIE

équitation

edilig
jeunesse

3 rue récamier, Paris 7e

Texte français de Michel Keen,
maréchal-ferrant, et Esther Tanon
Texte original de Christine Keir
Illustré par Glenn Steward

Copyright © Granada, ISBN : 0-246-11981-0
© Edilig, 1985, pour l'édition française
ISBN : 2-85601-103-9
ISSN : 0761-1323
Dépôt légal : 2e trimestre 1985

Imprimé en Italie, mai 1985
Photocomposition : Marchand, Paris

Sommaire

Histoire de l'équitation

Eohippus, l'ancêtre du cheval, vivait il y a 60 millions d'années. Il était à peine plus grand qu'un lièvre et avait des « orteils ». Mais, il y a un million d'années, un poney puissant au poil court, du nom d'Equus, fit son apparition : contrairement à Eohippus, il était doté de sabots. Des fragments de squelettes de chevaux ont été découverts dans les cavernes de l'âge de pierre. Ces restes remontent à une période comprise entre 25 000 et 10 000 ans avant J.-C. et prouvent qu'à cette époque le cheval était déjà un aliment pour l'homme. Grâce aux peintures rupestres, on sait qu'il avait davantage l'apparence d'un poney.

Au cours des âges, nous retrouvons le cheval dans la mythologie grecque. On se souvient de Pégase, le cheval ailé, fils du dieu de la mer Poséidon et de Méduse, l'une des Gorgones. Il fut capturé par Bellérophon, qui tenta sur son dos d'atteindre l'Olympe. Les dieux, furieux, désarçonnèrent et aveuglèrent Bellérophon.

Les cavaliers assyriens chevauchaient sans étriers leurs montures, ce qui ne les empêchait pas de décocher leurs flèches avec une précision mortelle.

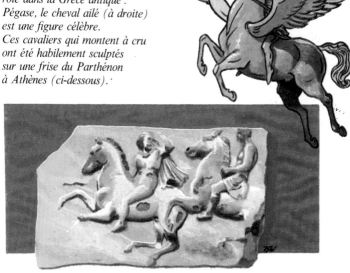

Les chevaux ont joué un grand rôle dans la Grèce antique : Pégase, le cheval ailé (à droite) est une figure célèbre.
Ces cavaliers qui montent à cru ont été habilement sculptés sur une frise du Parthénon à Athènes (ci-dessous).

La tombe d'Horemheb, roi d'Égypte en 1400 environ avant J.-C., nous donne vraisemblablement les premières indications sur l'art de monter à cheval. Sur cette tombe figurent des cavaliers galopant sans étriers. Vers 890 avant J.-C., les Assyriens ont déjà l'habitude de s'asseoir plus près du garrot de leurs montures lorsqu'ils chassent le lion. Xénophon, historien grec du 4e siècle avant J.-C., a rédigé des ouvrages sur l'art équestre : ce qu'il y décrit est encore valable de nos jours. Mais le plus célèbre cavalier grec est évidemment Alexandre le Grand, qui mena son fidèle Bucéphale à bien des combats, avant de trouver la mort en 323 avant J.-C.

C'est au 4e siècle après J.-C. que les Huns introduisirent en Europe les étriers et des mors très simples, qu'ils utilisaient sur leurs poneys mongols.

Au Moyen Age, un cheval et son cavalier prêts pour le tournoi.

Mors et éperons du 16e siècle.

Chevaliers en armure

Au Moyen Age, les chevaliers dominent les champs de bataille. Ils sont revêtus d'armures ; n'oublions pas que c'est l'ère des croisades et de la chevalerie. Au début, ils se protègent avec une cotte de mailles légère et chevauchent des chevaux de petite taille ; mais plus les archers perfectionnent leur technique, plus l'armure s'alourdit, enveloppant le cavalier et sa monture. On mélange alors les races pour obtenir des bêtes plus lourdes capables de supporter ce poids supplémentaire. Les cavaliers doivent d'ailleurs être hissés sur le dos des chevaux. Au combat, les rênes et le bouclier sont tenus dans la main gauche, l'épée ou la lance dans la main droite ; les éperons doivent donc être longs et effilés pour guider les montures. Quand les chevaliers ne sont pas au combat, ils organisent des tournois. Empêtrés dans leurs lourdes armures, une fois désarçonnés ils sont à la merci de leurs adversaires. Leurs énormes montures étaient appelées « chevaux lourds », ancêtres des chevaux de trait actuels.

Les grandes écoles d'équitation

C'est aux 15e et 16e siècles que furent créées les premières écoles d'équitation. Celle de Naples, fondée en 1539, établit les règles de l'art équestre ; l'un de ses élèves, le Français Antoine de Pluvinel, a été l'initiateur de l'équitation académique, portée à la perfection par les écuyers du Manège de Versailles, créé en 1680 par Louis XIV. Mais c'est François de La Guérinière qui, au 18e siècle, fut le grand maître de cet art, méritant le titre de « père de l'équitation française ». L'École de cavalerie de Saumur, le fameux Cadre Noir, date de 1771 ; elle partage la célébrité avec l'École de Vienne, qui conserve jalousement la tradition de la « haute école ». Ses célèbres chevaux *lippizans,* soumis à un long dressage, offrent de magnifiques présentations.

Figure de quadrille de l'École espagnole de Vienne.

Guerre et paix

Huns, Mongols et Cosaques furent réputés pour leur adresse et leur comportement au combat ; mais l'assaut de cavalerie le plus mémorable fut donné contre les Russes par la Brigade légère anglaise au cours de la guerre de Crimée, en 1854 à Balaklava.

De nombreux chevaux ont péri sur les champs de bataille : la guerre des Anglais contre les Boers a tué 400 346 chevaux, ânes et mules. Les pertes ont été encore plus lourdes au cours de la Première Guerre mondiale. La dernière célèbre charge fut celle de l'escadron d'élite polonais pendant la Seconde Guerre mondiale : cavaliers et montures furent totalement anéantis par l'armée allemande.

En temps de paix, le cheval constituait le moyen de transport le plus rapide, pratiquement le seul sur les routes. Les femmes de la noblesse appréciaient les petits chevaux, appelés *haquenées,* capables d'aller l'*amble.* Elles montaient parfois en amazone. Plus tard furent construits toutes sortes d'attelages hippomobiles.

Les premiers services postaux fonctionnaient grâce à des cavaliers, comme ceux du célèbre Pony Express, créé en 1860 aux États-Unis. Malgré la difficulté du parcours et l'hostilité des populations indiennes, les messagers couvraient en dix jours les 3 210 kilomètres séparant le Missouri de San Francisco.

Les courses de chevaux débutèrent au 17e siècle, et la chasse à courre devint un sport très apprécié par les gens riches.

A gauche : La dramatique charge de la Brigade légère anglaise au cours de la guerre de Crimée.

Ci-dessous : Les Indiens d'Amérique faisaient des prouesses de voltige au cours des chasses au bison dans les grandes plaines de l'Ouest.

Le cheval dans le monde moderne

L'invention de l'automobile, dans les années 1900, aurait pu marquer le déclin du cheval, mais l'équitation ne disparut pas ; aujourd'hui le cheval a partout sa place dans le monde des loisirs, et même encore dans celui du travail. Des associations ont été créées pour assurer sa protection ; les clubs d'équitation se multiplient. Les races et les harnais sont sélectionnés en fonction des sports pratiqués.

S'ils constituent un moyen de locomotion, les chevaux eux aussi voyagent par avion, par bateau et par route afin de se rendre sur les terrains de compétition. Les différentes manifestations équestres constituent un spectacle désormais familier. L'équitation n'est plus le privilège des riches.

Les chevaux connaissent encore une grande activité, par exemple en Camargue (montés par des guardians conduisant des troupeaux de vachettes et de taureaux), dans la fameuse Police montée canadienne ou encore au cinéma. D'autres, tels ceux de la Garde républicaine ou des Horse Guards anglais, participent aux cérémonies officielles. On les voit dans presque toutes les capitales du monde, magnifiquement harnachés et portant des cavaliers en somptueux uniformes.

Mais surtout les chevaux peuvent s'aventurer là où les véhicules à moteur ne peuvent se risquer : si bien qu'en dépit des progrès réalisés dans le domaine technique ils apportent encore une précieuse contribution à l'activité du monde moderne.

Le spectacle d'une cérémonie officielle illustre l'accord parfait entre les cavaliers et leurs montures.

Quelques selles pour différents usages et au cours des âges :

romaine

allemande

normande

anglaise

d'amazone

de course   d'arme d'officier

de polo

western

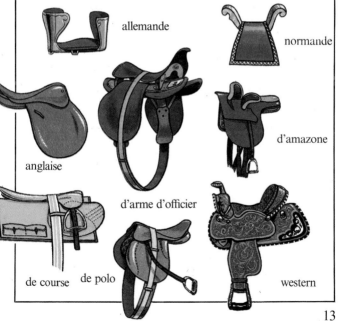

13

Apprendre l'équitation

On ne naît pas cavalier : on le devient. Le meilleur endroit pour apprendre est un cercle d'équitation ou un manège. Évitez les endroits où les chevaux sont maigres et apathiques ; choisissez plutôt ceux où les bêtes sont bien soignées et qui vous paraissent posséder de bons équipements. La plupart peuvent vous prêter une bombe ; mais il est préférable d'en acheter une, que vous attacherez avec une jugulaire ou ruban élastique passé sous le menton. Pour les vêtements, on choisira un blouson ou un pull-over chaud et des jeans, bien que la culotte de cheval soit plus confortable. Aux pieds : des bottes d'équitation ou des chaussures tenant fermement le pied. Évitez les espadrilles, sandales ou chaussons de gymnastique, qui peuvent glisser dans les étriers ; de même, talons hauts ou semelles rigides peuvent s'y coincer et traîner le cavalier en cas

14

A gauche : Un club d'équitation sympathique.

Équipement de base gage de sécurité

A droite : Une jeune cavalière fait connaissance avec sa monture.

de chute. En hiver ou s'il pleut, n'oubliez pas une paire de gants, de préférence en fil tressé ou en cuir. Pour les débuts, la cravache n'est pas indispensable.

Avant de monter à cheval, il vous faut sympathiser avec l'animal. Mais ne lui offrez pas de friandises, à moins que les règlements du club, souvent très stricts, ne l'autorisent.

Pour mettre l'animal en confiance, flattez son encolure et parlez-lui doucement. Passez les harnais en revue et assurez-vous que le mors est bien en place dans la bouche. Vérifiez ensuite le serrage des sangles qui maintiennent la selle en place et ajustez les étriers. Pour mesurer la hauteur des étriers : bras tendu, placez les doigts au niveau des couteaux (support des étrivières) ; si les étriers atteignent le creux de l'aisselle, la position est bonne. Sinon, rectifiez la longueur. Vous êtes maintenant prêt pour votre première leçon.

Monter et descendre

Pour monter, placez-vous sur la gauche du cheval, face à la queue. Saisissez les rênes dans votre main gauche, écartez-les légèrement avec un doigt et renvoyez de l'autre côté du cheval la longueur des rênes restante : le flot des rênes. Celles-ci doivent être assez tendues, afin d'éviter que le cheval avance. En tenant l'étrier (côté postérieur tourné vers vous) de la main droite, engagez votre pied gauche dans l'étrier. Attention à ne pas heurter le flanc de l'animal ! Attrapez le troussequin de la selle de la main droite, soulevez-vous, passez la jambe droite par-dessus la croupe, et mettez-vous en selle. Engagez alors votre pied droit dans son étrier, en vous assurant que l'étrivière est bien à plat le long de votre jambe. Vous voilà maintenant en selle.

1

MONTER

2

16

Si le cheval est trop grand, il est préférable d'utiliser un marchepied ou un petit tabouret plutôt que de se hisser en tirant trop sur le pommeau ou le troussequin de la selle. Si le cheval recule, c'est probablement que la pointe de votre pied s'est enfoncée dans son flanc. Par contre, s'il avance avant que vous soyez en selle, il faut assurer une meilleure prise sur les rênes.

Il est beaucoup plus facile de descendre. Arrêtez le cheval et sortez les pieds des étriers en tenant les rênes de la main gauche. Équilibrez-vous en posant la main droite sur l'encolure ou le garrot du cheval ; puis penchez-vous un peu en avant, levez la jambe droite, ramenez-la en arrière et laissez-vous glisser à terre. Remontez les étriers avant de ramener le cheval à l'écurie.

DESCENDRE →

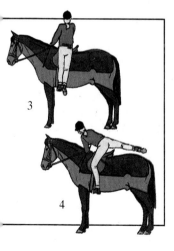

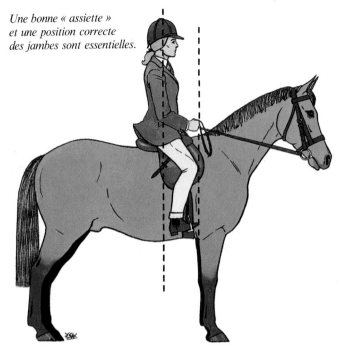

L'assiette et la position des mains

Une fois en selle, le cavalier règle ses étrivières. La semelle de l'étrier doit se trouver juste derrière l'articulation des orteils du cavalier. Pour le saut, la longueur d'étrivière est plus courte ; pour le dressage, elle est plus longue. Avant d'abaisser ses talons, le cavalier vérifie que ses pieds sont bien placés sur les étriers. Asseyez-vous le plus en avant possible sur la selle, bien droit, mais restez souple ; faites porter le poids du corps sur les ischions (os du bassin), les cuisses et les genoux. Si l'on trace une ligne droite imaginaire, elle doit relier les épaules du cavalier aux talons, en passant par les hanches. Si cette ligne partait des genoux, elle rejoindrait le bout des orteils. Quand les jambes sont trop en arrière, le cavalier est penché vers l'avant : le cheval en déduit qu'il faut avancer. Par contre, si les jambes sont trop avancées, le cavalier recule dans sa selle : la position est mauvaise pour le dos du cheval.

Les mains, souples, sentent bien les rênes ; les poignets sont souples aussi. Les rênes partent du mors, arrivent dans la main du cavalier sous le petit doigt et en sortent entre le pouce et l'index, au-dessus, les mains devant être écartées d'environ 20 cm. Les mains agissent ensemble ou séparément, mais ne doivent jamais servir à rattraper son équilibre. En outre, les débutants éviteront l'emploi des rênes de bride (rênes doubles).

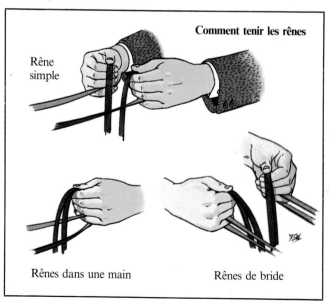

Comment tenir les rênes

Rêne simple

Rênes dans une main

Rênes de bride

Les aides

Les mains, les jambes, l'assiette et la voix sont des *aides naturelles* : elles servent à donner des instructions au cheval. Les mains permettent de guider l'animal, grâce aux rênes, et de contrôler l'allure. Les jambes du cavalier donnent l'ordre d'avancer ; elles contrôlent également les postérieurs. L'assiette permet de rester lié à son cheval en toutes circonstances et de sentir ses réactions. Le cavalier peut ralentir en s'asseyant bien au fond de sa selle et en redressant le haut du corps.

Le cheval réagit beaucoup aux sons et à la voix. On peut modifier son allure (claquer la langue pour accélérer, dire *Hoo ! Hoo !* pour ralentir, *Ho là !* pour arrêter), gronder le cheval désobéissant ou féliciter le cheval méritant, réveiller l'endormi, et calmer un cheval inquiet ou nerveux. Mais il faut se servir de sa voix à bon escient ; les cris trahissent le cavalier peureux.

Cravache, éperons et martingales constituent les *aides artificielles*. N'employez la cravache que si le cheval est « froid à la jambe », c'est-à-dire réagit peu à la sollicitation des jambes, ou s'il fait « une grosse bêtise ». Les martingales permettent d'éviter que le cheval relève trop la tête et « échappe » à l'action de la main ; les éperons sont réservés au cavalier expérimenté et servent à renforcer l'action de la jambe et à l'affiner.

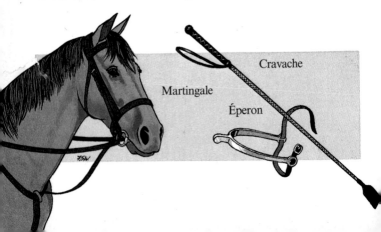

Cravache

Martingale

Éperon

Pour avancer, le cavalier relâche la pression des mains et serre les jambes. Pour s'arrêter, il se dresse et serre les rênes, en encadrant le cheval avec ses jambes. Lorsque celui-ci s'est arrêté, le cavalier relâche mains et jambes. Pour tourner par exemple à droite, écartez la main droite, rêne tendue vers la droite, en maintenant la pression des jambes pour que le cheval ne s'arrête pas, la rêne gauche restant au contact.

Pour effectuer une volte, même manœuvre que pour tourner, mais en outre reculez la jambe extérieure au cercle pour éviter que le cheval ne chasse les hanches en dehors du cercle (ce qui diminue l'impulsion).

Les allures

LE PAS

Le pas est une allure à quatre temps, dans laquelle le cheval avance les membres l'un après l'autre ; sur terrain mou, les sabots laissent quatre marques bien distinctes. Quand le pas est bon, les postérieurs dépassent les antérieurs. Un cheval ne peut accélérer l'allure si les rênes sont trop courtes, car au pas (comme au galop) il balance son encolure de haut en bas au rythme de son allure. Pour accélérer, le cavalier se sert de ses jambes alternativement, au rythme du balancer de l'encolure.

LE TROT

22

Le trot est une allure à deux temps, avec en plus
un temps de suspension où les deux diagonaux (antérieur droit, postérieur gauche et inversement) se posent
l'un après l'autre. Lorsque le cavalier sait se tenir au
trot enlevé, il change de temps en temps de diagonal
pour soulager l'autre diagonal. Au trot, un cheval
relève habituellement la tête : le cavalier raccourcit alors
les rênes avant de demander le trot des deux jambes.
Comme cette allure est inconfortable, on appréciera la
position en suspension. On l'observera d'abord au pas,
debout dans les étriers, puis assis, les pieds en position
correcte. On essaiera ensuite au trot, au rythme du
cheval. Pour revenir au pas, le cavalier se rassied et
referme les doigts sur les rênes.

LE GALOP

Le galop est une allure à trois temps avec en plus un temps de suspension (exemple : postérieur droit, diagonal droit, antérieur gauche). Le cheval peut partir de deux façons au galop : à droite ou à gauche. Au galop à droite, l'antérieur droit s'avance plus que le gauche. En extérieur, cela n'a pas d'importance. En manège ou en carrière, lorsque l'on marche à main droite (c'est-à-dire main droite à l'intérieur du manège) il faut, pour une simple raison d'équilibre, que dans les virages l'antérieur droit avance plus. Si ce n'est pas le cas, le cheval peut chuter par perte d'équilibre, ce qui est fréquent chez les poulains.

Pour partir au galop à droite, le cavalier se rassied dans sa selle, recule la jambe gauche, pousse légèrement l'encolure du cheval avec sa rêne droite, penche le haut du corps à gauche pour charger l'épaule gauche et envoie le cheval avec les jambes. Ayant chargé l'épaule gauche, la droite, « allégée », partira alors plus loin et le cheval sera au galop à droite.

Lorsque le cheval est au galop, le cavalier entretient l'allure en poussant avec ses fesses au rythme du cheval (au galop, en raison du mouvement de l'allure, le cavalier glisse dans sa selle d'arrière en avant) et en accompagnant avec les mains le balancer de l'encolure.

Avec un cheval difficile

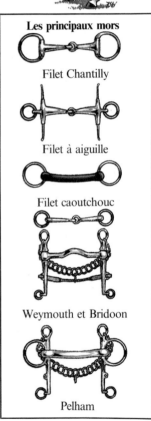

Cheval se cabrant.

Les principaux mors

Filet Chantilly

Filet à aiguille

Filet caoutchouc

Weymouth et Bridoon

Pelham

On ne doit jamais confier un cheval rétif à un débutant. En effet, comme tous les animaux les chevaux sont d'humeur imprévisible, et les sautes d'humeur sont parfois provoquées par le cavalier. Si le cheval se braque, vérifiez la position de vos jambes : trop ramenées vers l'arrière, elles lui indiquent d'accélérer ; le cheval peut aussi avoir aperçu une cravache. Le fait de grimper une côte au trot calmera la plupart des chevaux rebelles. Si, lancé au galop, le cheval ne s'arrête pas, faites-lui décrire des cercles de plus en plus petits jusqu'à obtenir l'arrêt.

26

Un rodéo aux États-Unis : chevaucher un « bronco »,
cheval non dressé, est une manière insolite de monter.

Quand il refuse d'avancer, c'est souvent qu'il veut rester en compagnie des autres chevaux : aidez-vous alors de la cravache et de vos jambes. Vérifiez cependant qu'il ne boite pas et que le harnachement est bien ajusté.

On peut obliger un animal nerveux à maîtriser sa peur en descendant et en marchant avec lui, mais cela ne doit pas devenir une habitude. On peut aussi changer de mors. Les martingales permettent de maintenir la tête du cheval en bonne position ; quand elles sont bien réglées, le cavalier possède une plus grande efficacité. Les chevaux convenablement dressés ne nécessitent ni martingale ni mors compliqué. Reprendre le dressage de l'animal est la seule manière d'en faire une bonne monture. Il n'est pas question ici du cheval de rodéo, à qui on demande de désarçonner son cavalier.

Le saut d'obstacles

On peut commencer par sauter une lourde barre, au trot, en regardant droit devant soi. Au fur et à mesure, on ajoute d'autres barres à la suite, en les espaçant de 1,20 mètre selon la taille du cheval et la longueur de sa foulée. Quand vous serez bien sûr de vous, vous pourrez raccourcir l'étrivière de 1 ou 2 trous et prendre la position du saut d'obstacles. Penchez-vous en avant quand le cheval prend son appel (le poids du corps n'est plus porté sur l'arrière-train du cheval), laissez aller vos mains sur l'avant pour suivre le mouvement de la tête du cheval. Baissez les talons, tout le poids du corps dans vos genoux. Il n'est pas aisé de trouver la bonne position du saut ; mais surtout ne vous découragez pas !

Maintenant, vous pouvez placer un petit cavaletto à 2,50 mètres environ de la dernière barre et sauter cet obstacle. Juste avant que le cheval « se rassemble », vous pouvez agripper le collier de cuir, mais ne vous retenez jamais aux rênes ! Poursuivez l'entraînement au trot ; remontez les barres, mais pas trop haut, jusqu'à ce que vous puissiez sauter sans perdre votre équilibre. Essayez ensuite au petit galop mais assurez-vous bien de l'allure du cheval. Si celui-ci s'emballe, écartez-le de l'obstacle et attendez qu'il se soit calmé. Pour négocier l'obstacle, placez les mains près du garrot et, au moment où le cheval saute en détendant son dos,

Ci-dessus : Une bonne position jusqu'à la réception au sol.

Ci-dessous : Ce jeune cavalier franchit aisément un obstacle.

suivez son mouvement. Quand il se reçoit au sol, rasseyez-vous dans votre selle et équilibrez-le avant d'aborder le prochain obstacle. Ne regardez pas derrière vous pour savoir si le cavaletto est tombé ou non !

Tout cavalier doit s'entraîner dans un manège ou dans un espace clos jusqu'à ce qu'il maîtrise bien sa monture. Les bons cavaliers montent calmement. Une parfaite assiette leur permet une bonne fixité des mains et des jambes.

29

Quelques défauts courants

Si votre cheval refuse l'obstacle, en s'arrêtant devant au moment de l'aborder, il y a plusieurs explications : la barre est trop haute pour lui, il est fatigué, son cavalier est nerveux et lui blesse la bouche, ou alors il veut rester en compagnie des autres chevaux. Quoi qu'il en soit, il faut trouver la raison du refus et y remédier. Si votre cheval est fatigué, remettez-vous au pas. Si vous êtes nerveux, attendez de vous sentir plus sûr de vous ; et, avant de sauter, penchez-vous bien en avant pour éviter de blesser la bouche du cheval. Sauter des obstacles hauts finit par fatiguer même le meilleur des chevaux : entraînez-vous plutôt sur plusieurs parcours variés.

Un joli saut, mais cette cavalière ne regarde pas droit devant elle et ses jambes basculent trop vers l'arrière.

Ce cheval refuse de sauter la haie mais sa cavalière le contrôle bien.

Si la haie n'est pas assez large ou si le cheval a couru trop longtemps, il passera à côté de l'obstacle. Presque tous les chevaux se dérobent ainsi. Il faut donc lui faire exécuter un bref galop dans la direction opposée à celle qu'il « fuit » ; il arrivera ainsi plus aisément face à la haie et la franchira. Si le cheval continue à se dérober, c'est qu'il manque réellement d'entraînement, et son cavalier de pratique.

Votre cheval refuse-t-il brusquement de sauter ? Vérifiez qu'il n'a pas de douleur dans le dos ou les jambes. S'il est âgé, il souffre peut-être de *courbe,* d'une *jarde* ou d'arthrite. Par contre, si c'est un poulain, il souffre peut-être de *suros* ou d'*éparvin.* Faites-le alors examiner par un vétérinaire. Enfin, les terrains durs ou glissants ne conviennent pas au saut d'obstacles. Ne sortez jamais un animal qu'on vient de nourrir. N'oubliez pas de récompenser votre cheval lorsqu'il s'est bien comporté.

Les haies et parcours d'obstacles

On peut construire toutes sortes de haies avec des matériaux très divers. Une vieille porte sur laquelle on a peint des briques peut servir de haie. Tout est possible, à condition que ces obstacles soient solides. Ils doivent tomber lorsqu'on les heurte, sauf les troncs d'arbres, et résister au vent. Évitez les haies de moins de 3 mètres de large, à moins d'y ajouter des *chandeliers*. Utilisez des barres lourdes posées sur des appuis solides mais transportables, comme des barils d'essence ou des bottes de foin, et évitez les obstacles trop ajourés. Le *cavaletto,* formé d'un poteau supporté par deux barres en X, convient parfaitement pour un entraînement. Les obstacles droits — tels les barres de Spa, les haies barrées et les oxers — sont très efficaces parce qu'ils sont généralement précédés de barres d'appel qui permettent au cheval de prendre son élan au bon moment.

Il n'est pas facile de dessiner un parcours ; presque tous les organisateurs de concours font appel à des spécialistes. Les combinaisons sont ardues : la distance entre deux murs ou deux barres doit être exactement calculée, sachant qu'un poulain a besoin de moins d'élan qu'un cheval adulte. En outre, la barrière la plus large doit être placée en dernier ; la barre de Spa ne doit jamais figurer en premier ou devant deux obstacles droits. Une porte ne doit jamais être inclinée vers le cavalier : cela fausse sa perception du sol, et seul un excellent cheval est capable de franchir un tel obstacle.

On peut également modifier un parcours : l'intérêt et l'entraînement seront ainsi accrus, tant pour le cavalier que pour le cheval.

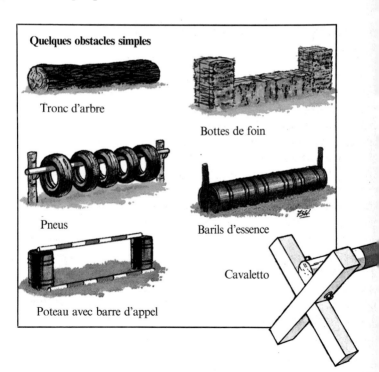

Quelques obstacles simples

Tronc d'arbre

Bottes de foin

Pneus

Barils d'essence

Poteau avec barre d'appel

Cavaletto

La promenade

Partir seul le long de routes très fréquentées peut être particulièrement dangereux. En groupe, les cavaliers avancent en file indienne, mais un cheval nerveux doit être escorté par un cheval plus calme. Les cavaliers doivent signaler aux automobilistes qu'ils veulent tourner, et remercier, de vive voix ou par un signe de la main, ceux qui auront ralenti. Ne galopez jamais sur une route : c'est très dangereux et en outre mauvais pour les jambes du cheval. N'obligez pas non plus votre monture à passer devant quelque chose qui l'effraie si la voie n'est pas libre. En cas de nécessité, vous pouvez arrêter la circulation puisque vous avez la priorité. Mais vous ne devez pas quitter le bas-côté

Sur une route, avancez en file indienne en maintenant une certaine distance entre les chevaux.

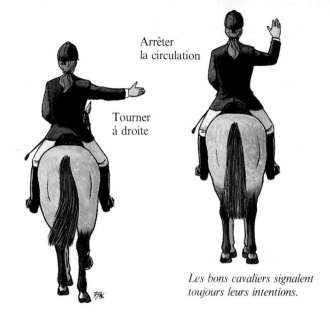

Arrêter
la circulation

Tourner
à droite

*Les bons cavaliers signalent
toujours leurs intentions.*

de la route sans regarder d'abord derrière vous. En ville, respectez les feux de signalisation et évitez les trottoirs. Au crépuscule et pour les sorties de nuit, portez des vêtements fluorescents et une lampe électrique à verre blanc et rouge qui s'accroche au bras ou à l'étrier. Il est également recommandé de souscrire une assurance auprès du club ou de tout autre organisme compétent.

Quand vous vous promenez dans la campagne ou en forêt, méfiez-vous des terriers et des branches basses ! Avant de partir, indiquez votre itinéraire à quelqu'un : en cas d'accident, cela facilitera les recherches. Si vous partez au trot et revenez à cette allure, sur le dernier kilomètre de parcours calmez votre cheval. Augmentez progressivement la durée et la vitesse de la promenade : c'est un excellent entraînement pour le souffle et le moral du cheval.

Le savoir-vivre équestre

- Dans un groupe, réglez votre allure sur celle de vos voisins ; prévenez-les si vous voulez changer d'allure. Ne vous tenez pas trop près du cavalier qui vous précède. Si vous montez un cheval délicat ou irritable, placez-vous en queue du groupe pour ne pas risquer d'accident.
- Pour dépasser un autre cavalier, ralentissez avant d'arriver à sa hauteur, saluez et demandez la permission de passer.
- En croisant un autre cavalier, saluez-le.
- Ne serrez pas de trop près un cavalier que vous croisez ou doublez.
- Pour saluer, le cavalier descend sa coiffure jusqu'à hauteur du genou droit, les ongles en dessous ; la tête doit rester immobile.

Fermez bien la barrière, la queue du cheval dirigée vers les charnières.

Ci-contre : Dans les champs, respectez bien les cultures.

- Pour saluer, la cavalière porte le pommeau de sa cravache, tenue la mèche en bas, à hauteur de son épaule droite et incline légèrement la tête.
- Au manège, en travail individuel, laissez la piste à ceux qui marchent à main droite.
- En promenade, observez le Code de la route et prévenez par geste d'un changement de direction ou d'allure.
- Un cavalier doit connaître et employer les termes appropriés pour parler d'équitation ; on ne doit pas dire : « je fais du cheval », mais « je monte à cheval » ou « je pratique l'équitation ».

Le tourisme équestre

Une paisible randonnée en pleine nature.

Le tourisme équestre est une activité qui se développe sans cesse en France, pour les 110 000 licenciés comme pour les très nombreux amateurs. On trouve maintenant des clubs dans toutes les régions. Plus de 150 clubs proposent des randonnées de quelques heures à plusieurs jours, avec hébergement au centre.

Tout le monde peut participer : les randonnées varient en durée et en difficulté. Les montures vont du poney au cheval de chasse : la plupart des chevaux mesurent entre 1,40 et 1,60 mètre de hauteur. Vous aurez besoin de vêtements chauds, confortables et imperméables, ainsi que de bottes.

La Fédération des randonneurs équestres organise de nombreux stages dans les centres-écoles de formation à la randonnée équestre, délivre la carte nationale de randonneur et les brevets fédéraux, comme le brevet de randonneur équestre junior pour les jeunes de 13 à 16 ans.

Les clubs d'équitation et les poney-clubs

Il existe actuellement en France plus de 2 000 établissements hippiques disposant d'environ 40 000 chevaux, et près de 300 000 cavaliers ! En dix ans, le nombre des titulaires de la carte nationale a doublé : ils sont maintenant 140 000.

Les poney-clubs se sont aussi considérablement développés : créés en 1971, ils représentent aujourd'hui plus de 300 clubs, 20 000 licenciés et de très nombreux participants occasionnels.

La fin d'une épreuve dans un poney-club.

Leçon de saut d'obstacles.

Un poney-club a pour principale fonction d'apprendre l'équitation sur poney aux enfants de 5 à 12 ans ou aux juniors. Les participants y découvrent les nombreuses formes d'équitation de loisir ou sportive, tout en vivant avec les poneys. Ils doivent aussi entretenir le matériel nécessaire à l'équitation et aux écuries.

Le Poney-Club de France est la fédération qui regroupe les poney-clubs, détermine les programmes d'examens, contrôle l'instruction et assure des stages de perfectionnement. Il établit les règlements des concours agréés et organise les championnats de France d'équitation sur poneys chaque année en juin ou juillet.

Dans un poney-club, les leçons constituent l'activité la plus importante. C'est là que ses membres apprennent tout ce qui concerne l'équitation et les soins

Franchissement d'une barrière lors d'un parcours d'endurance.

donnés aux chevaux. On peut également écouter des conférences, voir des films, participer à diverses courses et à de longues randonnées. Les concours entre associations développent l'esprit d'équipe et offrent la possibilité de rencontrer d'autres passionnés de cheval. D'autres épreuves sont organisées, comme les parties de polo ou les concours de saut. Ces épreuves varient selon les pays et il y a de plus en plus de rencontres internationales.

La journée débute par un nettoyage des écuries et un solide petit déjeuner. Viennent ensuite les multiples phases de l'instruction. Le soir, des tests sont préparés. La plupart de ces camps se terminent par une démonstration, un concours ou un gymkhana, ou par ces trois épreuves à la fois. Les participants les plus âgés organisent une épreuve de dressage et de saut.

*Une jeune cavalière
admire sa récompense.*

Flot

    Les tests sont un élément important de la vie du poney-club. Ils sont soumis à une classification particulière. Tous les adhérents doivent s'y présenter et tenter de remporter un flot, un fer ou une étoile, prouvant qu'ils ont atteint un certain niveau de compétence équestre. Il existe également des stages d'instructeurs : les cavaliers et cavalières qui ont un bon niveau et des talents de pédagogue y sont les bienvenus ; les instructeurs peuvent aussi apporter leurs concours à l'administration ou à l'intendance.

    Dans un poney-club, la compétition la plus importante est le Concours complet d'équitation. Le Combiné est une épreuve mixte de dressage et de concours de sauts d'obstacles. Il faut franchir plusieurs séries par cavalier et par poney pour parvenir au championnat de France.

Les compétitions

Aux Jeux Olympiques, les épreuves se déroulent indivi-
duellement et par équipe : dressage, concours complet,
saut d'obstacles.

Les championnats du monde comprennent : saut
d'obstacles, concours complet d'équitation, dressage,
attelage. Les championnats d'Europe comportent
saut d'obstacles, concours complet, dressage.

Les championnats de France, annuels, voient se
dérouler les épreuves suivantes : dressage pour seniors
et juniors ; concours complet pour seniors, jeunes cavaliers et juniors ; saut d'obstacles pour cavaliers, cavaliè-
res, jeunes cavaliers, juniors et 2e catégorie.

Les critériums nationaux comportent trois catégories : juniors, seniors et cadets.

Des concurrents se préparent
pour une compétition.

Le dressage

Une cavalière dans l'arène de dressage.

Le dressage a pour but de développer les aptitudes du cheval, la franchise du pas, la légèreté et la régularité des allures, le soutenu du trot. Le soutien de la main et l'engagement de l'arrière-main sont très importants.

L'épreuve de dressage a lieu dans une petite arène. Il est rare qu'un cheval lourd et mal proportionné s'y comporte honorablement car, même si avec le temps il acquiert la précision du geste, il n'aura jamais le port de tête voulu ni l'allant nécessaire pour effectuer les figures les plus complexes. Le tempérament joue aussi un rôle important : un cavalier nerveux ou un cheval impressionnable ont peu de chances de réussir l'épreuve, qui doit se dérouler sans hâte et avec grâce. On conseille au cavalier de reconnaître au préalable le parcours. Le dressage fait intervenir la position des mains et l'assiette, qui doivent être correctes. Il est donc inutile de s'inscrire dans cette épreuve si l'on n'a pas une formation équestre déjà poussée.

Les concours hippiques

Dans un parcours normal, les organisateurs décident de la hauteur et du nombre d'obstacles, une dizaine généralement. Les épreuves sont chronométrées ou non. S'il y a égalité, il faut franchir 1 ou 2 *barrages*.

Une épreuve de puissance se déroule comme un parcours normal, mais à partir du second tous les obstacles doivent mesurer au moins 1,4 mètre.

Un parcours à l'américaine est chronométré. Un cavalier est éliminé s'il dépasse le temps accordé ou dès qu'il renverse un obstacle.

Dans un parcours de chasse, on dispose des barres identiques. Le cavalier ne peut revenir sur un obstacle tombé ; il doit continuer. Pour prendre part au tour

Le franchissement d'un obstacle lors d'un parcours chronométré.

suivant, il ne faut aucune faute, ou la pénalisation minimum. On compte la même faute si le cheval fait chuter l'obstacle ou s'il effleure simplement la barre.

Chacun de nous a pu assister à un concours hippique retransmis à la télévision. Les champions du monde, habitués aux parcours sans faute sur des obstacles ardus, donnent une impression de facilité. Or, pour en arriver là, il leur a fallu des années d'entraînement acharné ! De l'endurance et une bonne condition physique sont également nécessaires, outre la faculté de bien savoir négocier les longs parcours complexes que l'on dessine actuellement.

Ceux-ci sont d'ailleurs soigneusement calculés en fonction des chevaux engagés. On y trouve entre autres des murs, des barrières, des haies barrées, des oxers doubles, des barres triples, des palanques, des croisillons, des rivières. Une certaine distance est respectée entre les obstacles et les combinaisons sont exactement tracées afin de permettre aux chevaux de les franchir en toute sécurité.

Pour les concours officiels, les participants doivent être licenciés. Ils sont classés et on note le nombre d'épreuves remportées. Dans de nombreuses épreuves contre la montre, chaque faute compte comme une

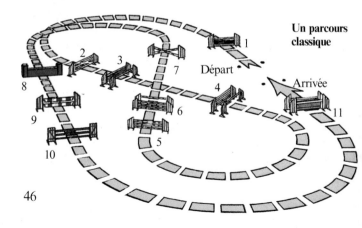

Un parcours classique

Un magnifique saut de rivière.

pénalité. Les règlements varient suivant les pays, mais dans tous les cas un cheval qui commet une erreur de parcours est disqualifié.

Le cavalier qui voudrait pratiquer le concours hippique doit s'essayer aux concours de faible niveau organisés dans sa région. Sa réussite dépendra de lui seul : les meilleurs chevaux ne peuvent rien si le cavalier n'a pas les qualités requises. Avant chaque course, celui-ci doit reconnaître le parcours : pour l'étudier et préparer chaque saut, en sachant que les obstacles larges et les rivières exigent de la vitesse, tandis que les obstacles droits doivent être abordés plus doucement. Dans un parcours chronométré, on peut couper les virages afin de gagner du temps, mais on risque de faire tomber l'obstacle en l'abordant de côté ; mieux vaut alors perdre quelques secondes. Il ne faut jamais forcer un jeune cheval inexpérimenté, sinon il pourrait ne plus jamais vouloir sauter. Jusqu'à six ou sept ans, les chevaux sont un peu jeunes pour les épreuves contre la montre : les records sont établis par des chevaux bien plus âgés.

*Un jeune cavalier présente
un poney bien dressé.*

La présentation

Dans ce domaine, il existe plusieurs catégories suivant le type de cheval ou de poney. Par exemple, on attend des chevaux de « jumping » qu'ils franchissent plusieurs obstacles naturels avant d'évaluer leurs qualités physiques. Par contre, les poneys de manège doivent prouver qu'ils ont un caractère placide et qu'on peut en toute sécurité leur confier des cavaliers débutants. Comme pour tous les chevaux, leur compétence dépend de l'instruction, de la condition physique, de la morphologie, du dressage et du cavalier. La présentation est un art qui s'apprend. Votre habillement doit être confortable ; il comprend une bombe, une veste noire, des bottes, une culotte de cheval, des gants et une cravache. Le harnachement du cheval doit être net. On peut utiliser une selle de compétition, un tapis et une double bride pour certains chevaux d'obstacles.

48

Une fois entré en piste, le cavalier gardera ses distances par rapport aux autres concurrents. Quand on appelle son nom, il s'avance en tenant sa monture bien en main : un cheval qui se reposerait sur une jambe ou brouterait l'herbe ferait un très mauvais effet. S'il doit enlever sa selle, le concurrent doit faire effectuer cette opération par un assistant muni d'une brosse pour effacer les marques de sueur. Il avancera au trot, les rênes bien hautes, puis reculera pour laisser la place aux autres. Sa présentation sera claire, efficace et si possible brève. Il n'oubliera pas qu'il doit surtout prouver qu'il a confiance en son cheval, même si celui-ci est anormalement chargé ou se trouve devant une situation inhabituelle.

Les gagnantes d'une épreuve dans un poney-club.

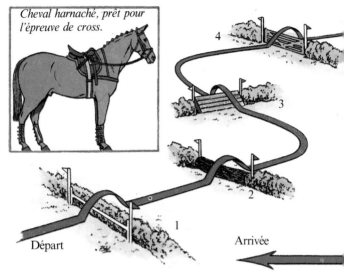

Cheval harnaché, prêt pour l'épreuve de cross.

4

3

2

1

Départ

Arrivée

Le cross-country

Ces épreuves, appelées « entraînement militaire » puis « entraînement combiné », permettaient de juger le couple cavalier-cheval et de voir ainsi s'ils étaient aptes à servir dans l'armée. Le cross-country est maintenant une épreuve du concours complet, que l'on peut voir aux Jeux Olympiques, dans les championnats − de France, d'Europe et du monde − et dans diverses compétitions.

Un concours complet se déroule en 3 compétitions, souvent sur 3 jours. Le dressage doit prouver le calme et la soumission du cheval ainsi que l'aptitude du cavalier à le diriger. L'épreuve d'obstacles correspond à un concours hippique normal. Le parcours de fond se définit par un cross-country au tracé sinueux et au terrain accidenté ; la vitesse est imposée, les refus et les chutes sont pénalisés.

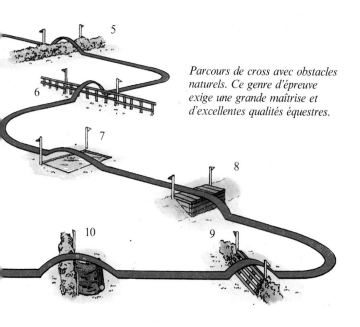

Parcours de cross avec obstacles naturels. Ce genre d'épreuve exige une grande maîtrise et d'excellentes qualités équestres.

Il existe aussi des cross-countries moins difficiles. Certains durent un jour seulement et sont organisés à l'intention des cavaliers moins expérimentés. Ils offrent un bonne occasion de s'entraîner. Pour avoir une chance de réussir, les concurrents doivent faire preuve de beaucoup de courage, de « perçant », de talent et de forme physique. Rien n'est plus cruel que d'engager un cheval dans une course qui est au-dessus de ses moyens ; il vaut bien mieux courir dans des compétitions moins serrées, où les obstacles sont essentiellement des obstacles naturels. Les concurrents sont notés d'après le style, la vitesse ou selon un handicap. Les courses par équipes ou par paires figurent également dans les concours de cross-country, avec souvent des parcours pour enfants.

Les gymkhanas

Les gymkhanas, nés en Inde au temps de la colonisation anglaise, sont d'excellentes compétitions pour les cavaliers et une bonne école pour des chevaux bien en main. Les clubs d'équitation organisent des jeux avec une ou plusieurs équipes, selon les associations. Les gymkhanas s'adressent plus particulièrement à des concurrents montant des chevaux ordinaires. Éperons et cravache sont interdits. Bon caractère et agilité sont exigés du cheval... et de son cavalier. La plupart des gagnants s'entraînent pendant plusieurs semaines et c'est cet entraînement, plutôt que le prix du cheval, qui produit un champion.

Il faut pratiquer le trot avant de passer à des allures plus rapides et faire un bon travail de base plutôt que beaucoup de galop. Le cavalier s'essaiera à la monte

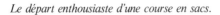

Le départ enthousiaste d'une course en sacs.

avec une seule main, apprendra au cheval à s'arrêter sur un signe de la voix et à démarrer brusquement au galop.

Il existe suffisamment d'épreuves de gymkhana pour mettre à l'épreuve cavaliers et montures. La course proprement dite est parfaite pour un cheval plus rapide, qui aime être en tête. Pour l'épreuve de la pomme de terre, il faut savoir bien viser, et pour celle du carton avoir la main sûre. La perche à musique ou la course en sac font appel à la faculté de concentration et au sens de l'orientation des concurrents.

Ceux-ci auront des gestes aussi calmes, aussi doux que possible, et éviteront d'insulter un cheval ou de déposer des réclamations s'ils perdent. Ils doivent également, avant le début du concours, s'assurer de bien avoir compris le règlement : il varie parfois.

La course d'endurance

La course d'endurance est
une forme de randonnée
sur très longue distance.
Le parcours
le plus célèbre est
le Western States Trail
Ride aux États-Unis, qui
compte pour l'obtention
de la coupe Tevis. Long
de 160 km, il suit la route
empruntée jadis par les
Indiens pour se rendre des
mines d'or de Californie
jusqu'au Nevada. En
Australie, les participants
doivent se qualifier pour
la Tom Quilty Endurance
Ride, une épreuve où
éperons et cravache sont
interdits ; sur ces 73 km,
les chevaux doivent porter
une charge de 72,5 kg.

*Ci-dessus : Une participante
à une course d'endurance.*

En Afrique du Sud, les 210 km du National Endurance Ride sont couverts en trois jours. En Angleterre, l'association Arab Society organise un marathon tous les ans, en octobre.

Les règlements et les critères d'une course d'endurance varient énormément. Les arbitres font parfois une différence entre course ordinaire et course rapide, la première étant parcourue à 9-11 km/h, la seconde à 13-14 km/h ; les gros écarts par rapport à ces moyennes sont pénalisés. Certains arbitres remettent une récompense à celui des dix premiers chevaux qui a la meilleure forme physique. Dans d'autres épreuves, les concurrents doivent se munir de ravitaillement pour eux et leurs montures. Pour ces courses d'endurance tout repose sur la condition du cheval, dont l'entraînement doit être complet et longuement poursuivi.

Un magnifique paysage accidenté du Far West s'offre à ces concurrents.

Le polo

Ce sport se pratiquait déjà en Perse au 6e siècle avant J.-C. et apparut en France au Polo de Bagatelle en 1892. Les principales épreuves sont le Championnat de polo de Paris, l'Open Cup et la Coupe d'Or de Deauville.

Il se joue généralement sur une pelouse de 150 × 300 m, en 2 équipes de 4 cavaliers dotés chacun d'un maillet à manche flexible. Les 2 arbitres, à cheval, sont responsables d'une moitié de terrain. L'équipe qui place la balle de bois dans le but adverse marque un point. La partie se déroule en 6 périodes *(chukkas)* de 7 minutes.

Le joueur de polo doit être excellent cavalier, posséder des mains souples, une grande maîtrise, un esprit d'équipe et des réflexes rapides.

Dans une partie de polo, l'action est très rapide.

Bouton, piqueur et meute.

La chasse à courre

La grande vénerie représente en France une centaine d'équipages et environ 7 000 cavaliers et 4 000 chevaux. Chaque équipage a une tenue spéciale (bottes, culotte, redingote) et de couleur différente. Leurs membres s'appellent des *boutons* ; à la différence des *suiveurs,* ils font acte de chasse suivant les ordres du maître d'équipage et du piqueur.

Les chasses à courre se déroulent de début octobre à fin mars. Le gibier est constitué de chevreuils, cerfs, renards et sangliers.

*Les couleurs que portent les jockeys permettent de reconnaître
les propriétaires des chevaux.*

Les courses de chevaux

Il existe deux sortes de courses en France : les courses
de plat et les courses d'obstacles.

Plus de 4 000 courses de plat sont organisées chaque
année sur environ 200 hippodromes français. Le Grand
Prix de Paris, fondé en 1863, se court à Longchamp
sur une distance de 3 000 m avec des poulains et
pouliches de 3 ans, en juin. Le Prix de l'Arc de Triom-
phe se court, avec des chevaux de 3 ans ou plus, sur
2 400 m, comme le Prix du Jockey Club, ou Derby
français.

*Les jockeys
montent très
« court ».*

Dans les courses d'obstacles, les principales épreuves sont les steeple-chases et les courses de haies, organisées pour des chevaux de 5 ans et plus, 4 ans et plus, 4 ans, 3 ans. Le Grand Steeple-Chase de Paris se court depuis 1901, sur 5 800 m. Le record de gain a été établi en 1983 par Bayonnet : 1 580 000 F.

Des courses de chevaux spectaculaires sont organisées dans de nombreux pays, comme le Kentucky Derby aux États-Unis, la Melbourne Cup en Australie, le Premio Roma en Italie et le Grand Pardubice en Tchécoslovaquie, gagné en 1937 par une femme.

La course d'obstacles la plus célèbre, pour chevaux de 6 ans et plus, est le Grand National de Liverpool, en Grande-Bretagne, couru depuis 1837 ; il comporte 30 obstacles. Le plus redoutable s'appelle le « Beecher's Brook » et mesure 4 m. Ce steeple-chase, avec ses 7 200 m, est le plus long parcours du monde.

Cavaliers et chevaux célèbres

Copenhague, l'étalon du duc de Wellington, avait déjà parcouru 100 km avant de participer à la bataille de Waterloo, où il combattit pendant 17 heures. Au repos dans le Berkshire, il mourut en 1836 et fut enterré avec les honneurs militaires.

Gladiateur, dont la statue est à Longchamp, est un cheval français qui gagna la même année, en 1865, quatre grandes courses internationales.

Inciatus, cheval de course romain, était certainement très connu : il fut nommé sénateur par son maître, l'empereur Caligula.

Marengo, l'étalon gris préféré de Napoléon, l'a suivi pendant de nombreuses campagnes et était présent à la bataille de Waterloo. Il repose au National Army Museum de Londres.

Morocco est un célèbre cheval du 17e siècle qui, avec son sabot, comptait les points d'un lancer de dés. Les Italiens considérèrent ses tours comme de la sorcellerie et condamnèrent au bûcher le cheval et son maître, Thomas Bankes. Celui-ci s'échappa ; on ne sait ce que devint Morocco.

Paul Revere, un bijoutier américain, galopa de Boston à Lexington, dans le Massachusetts, pour annoncer l'attaque imminente des Anglais, signalant ainsi le début de la guerre

Wellington et Copenhague.

Napoléon et Marengo.

*Une nuit d'avril 1775,
Paul Revere annonce l'arrivée
des troupes anglaises aux
patriotes américains.*

d'Indépendance.

Yves Saint-Martin, premier jockey français d'après le nombre de ses victoires : 117 en 1973, 121 en 1974, 125 en 1975, 109 en 1976, 125 en 1981 et en 1983.

Aimé Félix Tschiffely parcourut en 1925 les 16 000 km séparant Buenos Aires de Washington pour prouver que les chevaux *criollos* avaient du « perçant ». Chevauchant Mancha, âgé de 16 ans, et Gato, âgé de 15 ans, il mit deux ans et demi pour accomplir son pénible voyage. Mancha mourut à l'âge de 40 ans et Gato à 36 ans, ayant bien démontré la vigueur de cette race de chevaux.

Index